Lauren
Chaput

514·426·0444

Mika

Alexandrine, apprentie journaliste

Pigeons, Polka et cie

Catalogage avant publication de Bibliothèque et Archives nationales du Québec et Bibliothèque et Archives Canada

Mika, 1981-

Pigeons, Polka et cie

(Biblio-boom ; 14. Aventure, policier)
Pour les jeunes de 9 ans et plus.

ISBN 978-2-89595-496-5

I. Goldstyn, Jacques. II. Titre. III. Collection: Biblio-boom; 14. IV. Collection. Biblio-boom. Aventure. V. Collection: Biblio-boom. Policier.

PS8626.I41P53 2010   jC843'.6   C2010-940692-3
PS9626.I41P53 2010

Auteure: Mika
Illustrateur: Jacques Goldstyn / Coloration: Mika
Graphisme: Julie Deschênes et Mika

Dépôt légal —Bibliothèque et Archives nationales du Québec, 2ᵉ trimestre 2010

ISBN 978-2-89595-496-5

Gouvernement du Québec —Programme de crédit d'impôt pour l'édition de livres —Gestion SODEC

Boomerang éditeur jeunesse remercie la SODEC pour l'aide accordée à son programme éditorial.

Nous reconnaissons l'aide financière du gouvernement du Canada par l'entremise du Programme d'aide au développement de l'industrie de l'édition (PADIÉ) pour nos activités d'édition.

Imprimé au Canada

*Pour tous les petits curieux, spécialement
Félix, Éliane, Sarah, Zack, Julianne,
Karl-Olivier et Laurence
xox*

TABLE DES MATIÈRES

Prologue

Je me présente : Alexandrine Lafleur, apprentie journaliste. On me surnomme Alex la fouine. Je veux toujours tout savoir, même lorsque le sujet ne me concerne pas (surtout lorsqu'il ne me concerne pas !). J'ai toujours été comme ça et je sais qu'un jour, ma curiosité légendaire me fera découvrir de grands mystères.

Je parle beaucoup, trop même selon mon père, Maxence, qui pratique la simplicité et le silence volontaires, et c'est pourquoi j'utilise mon magnétophone pour enregistrer certaines de mes observations. Mes commentaires sont introduits comme ceci : *N.À.M.-M.* (ce qui signifie « Note À Moi-Même »). Ces mémos, bien que parfois superflus, peuvent être fort pertinents lors d'une enquête. Et même si ce n'est pas le cas, j'aime penser que ces notes se transformeront éventuellement en souvenirs de mes nombreuses investigations à Troubleville.

Alex

CHAPITRE 1
À la rencontre
des étranges

> — *Que se passe-t-il Monsieur Cinqmars ? Voulez-vous que je le rattrape avec ma bicyclette ? ai-je insisté sur un ton téméraire.*

— Allez, ouste ! Tassez-vous ! *Psssssssh !* Allez, allez ! Je vais vous écraseeeeeer !

BAM !

— Stupides pigeons !

Me voilà étendue par terre, sous ma bicyclette. J'ai freiné brusquement pour éviter une horde de dodues bêtes à plumes qui s'étaient subitement plantées là, par terre, devant moi. Les pigeons grignotaient.

Je me suis relevée, étourdie. En plus des étoiles, j'avais l'impression de voir cent fois plus de pigeons qu'il y en avait avant ma chute. Les gros oiseaux n'avaient pas bougé d'une seule plume et ils avaient toujours le bec au sol, à picorer des graines qui ressemblaient à des croquettes pour chien.

— Surtout, ne vous dérangez pas pour moi ! leur ai-je crié.

Je n'avais jamais vu de bestioles aussi étranges ! J'ai même eu l'impression d'apercevoir un de ces oiseaux posé sur trois pattes. Et un second, avec une seule petite aile... sur le dos ! C'était louche !

J'ai pris ma bicyclette et je me suis appuyée contre le gros chêne du parc. J'ai fouillé dans la poche de mon jean pour y trouver mon petit miroir et j'ai examiné mon visage. J'avais du sable sur les joues et quelques éraflures, rien de bien grave. Mes cheveux bouclés et remontés étaient relativement bien en place. Puis j'ai observé attentivement mes dents sous leurs broches. Ouf! Il n'y avait rien de cassé… heureusement! J'ai une peur atroce de voir mes gencives dépouillées de leurs dents et de constater que celles-ci ne tiennent que par un fil… de métal! Je fais parfois cet effroyable cauchemar et cette simple pensée me donne une intense chair de poule. Brrr!

Alors que j'observais attentivement ma dentition de fer, j'ai aperçu quelque chose d'inhabituel dans le reflet de mon miroir. Un petit homme trapu à la démarche accélérée et chancelante sortait de l'animalerie. Vite, mon magnéto!

N.À.M.-M. : Samedi, 14 h 37. Quelque chose d'étrange se produit présentement à l'extérieur de l'animalerie du quartier. Un homme sort du commerce et il semble cacher quelque chose sous son long manteau gris... Je crois qu'il vient de cambrioler le magasin de Monsieur Cinqmars ! J'espère qu'il n'a pas volé Gropopotin, la mascotte de l'animalerie, un lapin angora plutôt colosse. Je vais voir ce qu'il se passe ! C'est peut-être le début d'une nouvelle enquête. Fin de la note.

J'ai refermé mon miroir sur lui-même, j'ai pris ma bicyclette et je me suis rapidement dirigée vers le magasin. M. Cinqmars sortait alors de son animalerie, exaspéré et essoufflé. Voyant qu'il ne pouvait pas rejoindre le ravisseur, le vieil homme s'est immobilisé. Il a posé la main sur son front et a murmuré :

— Ce n'est pas vrai ! S'il fallait que...

— Que se passe-t-il, Monsieur Cinqmars ? Voulez-vous que je le rattrape avec ma bicyclette ? ai-je insisté sur un ton téméraire.

— Hein ? Oh non, ma petite Alexandrine. Il est déjà trop tard...

— Mais non ! si je pars tout de suite, je le retrouve à coup sûr et je...

— NON !!! Je suis désolé... mais non, il vaut mieux que tu n'y ailles pas, ce serait trop dangereux pour toi, me répondait nerveusement Gontrand Cinqmars. Je vais téléphoner à la patrouille d'Urgences-Urgentes !

Sur ces mots, la bizarroïde progéniture de Gontrand est apparue derrière lui, sortant du magasin. Janvier Cinqmars. À voir son allure, on aurait plutôt envie de l'appeler Octobre. Il est sombre, très étrange... et à y penser, je trouve qu'il a une tête de citrouille ! Une drôle de tête à la frange noire et longue qui s'assure de bien lui cacher les yeux.

De loin, le portrait n'est pas si mal, mais de près, bonjour les dégâts! Le relief alpestre de sa peau ne ment pas : il est bel et bien entré dans le monde ingrat de l'adolescence. À ce que je sache, il n'a aucun ami avec qui partager ses histoires de boutons et autres aventures palpitantes de jeune homme imberbe. Il ne parle jamais à personne et il est toujours seul. Enfin, pas vraiment seul... il traîne son pécari partout avec lui, même en classe. Quel garçon sain d'esprit aurait un porc comme meilleur ami ?!?

— Mmmm... quoi s'passe, p'pa ?

Et il est incapable de compléter ses mots et ses phrases ! On dirait un nouveau dialecte. Il parle comme on clavarde.

— Un homme m'a volé le sac de Poudurs, Janvier! Enfin, je crois qu'il l'a volé, il n'y est plus ! Je dois agir le plus vite possible ! Je... je...

je doute que les Poudurs soient entre très mauvaises mains !

— J'vais le retrouver, p'pa. Polka et moi, on va t'ramener ton sac !

Polka, c'est le nom de son animal chéri.

— Janvier, tu sais ce qui arrive si jamais on brûle les Poudurs ?

— Mmm'ouais p'pa, j'sais... pas une minute à perdre ! Il est parti par où ?

— Je n'aime pas la situation mon fils...

— Allez, p'pa ! PAR OÙ ?

C'est dans une totale inconscience que je me suis sacrifiée :

— J'irai avec lui M. Cinqmars ! À deux, nous allons sûrement le retrouver ! Je sais dans quelle direction le voleur est allé. Et peut-être aurai-je des témoins à interroger si on agit rapidement ! Au fait, quel est le grand danger dont vous parliez tout à l'heure...?

Janvier m'a lancé un regard désapprobateur et m'a dit :

— Tu parles trop, toi ! Si tu veux m'suivre, c'est maintenant, on a d'jà perdu trop d'temps !

J'ai tout de suite senti qu'une partie de plaisir m'attendait, entourée de belles discussions riches et animées... pfft! Moi qui suis toujours prête à enquêter et à résoudre énigmes et mystères. Moi qui suis habituée à travailler seule depuis toutes ces années (au moins deux), j'avais maintenant un codétective dans les pattes !

* * *

J'ai décidé d'aller à la recherche du voleur de sac de pou... poudu-truc-machin... uniquement dans le but de venir en aide à M. Cinqmars. Je tiens à le préciser, puisque je n'avais aucun avantage à m'enquiquiner d'un étrange air bête tel que Janvier.

Contrairement à son fils, M. Cinqmars est un homme réellement aimable. Lorsque j'étais petite, il m'invitait à entrer dans son animalerie et je pouvais m'amuser avec les petits chatons, les chiots, les mignons lapereaux... Parfois, je pouvais aller dans l'arrière-boutique pour y découvrir des animaux plutôt insolites ! J'y ai vu des rats musclés et même des poules avec des dents ! Oh ! Et les cochons dingues étaient trop trognons ! Je ne devrais peut-être pas mentionner l'existence de ces bêtes, car je crois qu'elles ne sont pas trop légales...

Comment un homme aussi chouette que Gontrand Cinqmars peut-il être le père d'un zombie analphabète ? Peu importe, il s'agissait d'une mission top-secret sur mesure pour la top-journaliste Alexandrine ! J'étais prête à TOUT pour retracer le voleur, même à passer quelques heures avec Janvier et avec... son cochon !

CHAPITRE 2

Démonstration de Polka en deux temps

Il a froncé les sourcils. Il a regardé son pécari qui reniflait le sol avec entrain. Janvier s'est penché et a pris une poignée de terre dans sa main. Il sentait le sol à son tour. Tel cochon, tel maître !

Je roulais à bicyclette à la conquête d'un autre passionnant mystère à résoudre tandis que Janvier courait, balançant ses

21

grands bras maigres dans tous les sens. Polka nous suivait, non loin derrière.

— Je veux bien t'aider en te disant par où j'ai vu l'homme aller, mais j'aimerais que tu me dises ce qu'est le Poudur..., lui ai-je demandé.

— Pas l'temps ! P't'être plus tard !

Je n'ai rien ajouté. De toute façon, je n'avais pas vraiment envie de lui faire la conversation !

N.À.M.-M. : Samedi, 14 h 43. Je confirme le crime : un sac contenant une substance X (apparemment importante) a été volé dans l'animalerie de Gontrand Cinqmars. Gropopotin est bel et bien sauf — je répète : Gropopotin va bien. Je suis avec Janvier et nous sommes à la recherche du ravisseur. Nous approchons d'un témoin possible dans l'affaire. Il s'agit d'une femme assez âgée, portant un grand chapeau et vêtue de rouge. J'interroge. Fin de la note.

— Pardon Madame, auriez-vous croisé un homme au long manteau gris il y a quelques minutes ?

— *What ?* m'a-t-elle répondu, surprise.

Bon... j'ai estropié quelques mots en anglais tout en mimant ma question... *little man with... you know... long maaanteau...*

Je crois que la dame sous le monumental chapeau à plumes blanches a finalement compris l'essence de ma question. Elle m'a avoué qu'elle n'avait rencontré personne avant nous. Je l'ai remerciée du mieux que j'ai pu :

— *Tankiyou véri moche,* Madame !

La vieille femme nous a souri puis nous nous sommes rapidement remis en route. Plus le temps passait, moins nous avions de chance de retrouver le voleur.

* * *

Après environ cinq minutes, j'ai freiné. Janvier s'est aussi arrêté. Nous étions au bout de la rue Principale et j'ignorais totalement la direction à prendre ! Le voleur pouvait être allé dans n'importe quel sens. Peut-être s'était-il envolé en hélicoptère ou peut-être même s'était-il rendu dans une autre dimension, à une autre époque à l'aide d'une supervoiture modifiée, qui sait ? Rien n'est impossible à Troubleville.

— Écoute, Janvier, je ne sais plus par où nous devrions aller... Si tu me disais ce qu'il y a dans ce fameux sac, nous pourrions peut-être trouver des indices ensemble !

— ...

— Et tu ne les trouves pas louches, les pigeons qui nous suivent derrière ?

Il a froncé les sourcils. Il a regardé son pécari qui reniflait le sol avec entrain. Janvier s'est penché et a pris une poignée de terre dans sa main. Il sentait le sol à son tour. Tel cochon, tel maître!

— V'là ton indice..., m'a-t-il dit sèchement. Il avait une expression que je déteste voir sur les visages des gens: un mélange de dédain et de suprématie. Comme s'il me prenait pour une parfaite idiote.

N.À.M.-M.: Arrrgh! Il m'éneeerve! Fin de la note.

Une, deux, trois bonnes bouffées d'air, puis Polka reprenait les devants, reniflant toujours le sol. Il suivait une trace de je ne sais trop quoi. Janvier suivait son porc de près et je marchais derrière eux, à côté de ma bicyclette. Nous avons avancé plusieurs minutes en silence. J'avais mille et une questions qui défilaient dans ma tête et je trouvais ce silence tellement pénible! J'ai tenté une subtile approche afin d'en savoir plus:

— Est-ce que ton porc renifle le contenu du sac?

— Il s'appelle POL-KA ! m'a répondu tout bas Janvier, insulté. Et n'parle pas si fort, tu vas l'déconcentrer !

— D'accord..., ai-je répondu doucement. Sais-tu seulement où POL-KA nous emmène ?

— Fais-lui confiance, on est sur la bonne piste.

Faire confiance à un COCHON ! Facile à dire ! Surtout que MAÎTRE Polka nous emmenait dans un coin du village qui m'était totalement inconnu. Tout semblait soudainement plus sombre, plus triste. Il n'y avait plus d'asphalte sous nos pas et les chemins étaient couverts d'un mélange de sable, de petites roches et de déchets. Les abondants feuillus du village faisaient place à de maigrelets arbres ternes et sans verdure à l'écorce mourante et décrépite. Le ciel, qui était pourtant bleu et clair quelques minutes auparavant, s'était transformé en un épais voile gris et menaçant.

Nous avons croisé un homme (enfin, je crois qu'il s'agissait d'un homme...) au teint cadavérique et à l'air louche. Peut-être avait-il été témoin de quelque chose, mais Janvier et moi avions convenu, en échangeant un regard, qu'il valait mieux ne pas l'interroger. J'avais subitement l'impression de faire partie du décor d'un film d'horreur quelconque.

Polka s'est arrêté sec. Le petit porc tout velu s'est tranquillement effondré par terre.

— POLKA!!! R'lève-toi mon grand !

Janvier semblait désemparé. Son meilleur ami semblait faible, mais il respirait toujours.

Ne connaissant toujours pas le contenu du fameux sac de M. Cinqmars, j'ai proposé à Janvier de rebrousser chemin et de ramener Polka à la maison. Il a pris son animal sur ses frêles épaules et m'a répondu :

— Non! Faut absolument ramener l'sac à mon père. Polka est sim-
plement fatigué... et de toute
façon, j'crois qu'on est rendu.
R'garde devant, y'a qu'une maison
dans l'coin. Le voleur doit être là.
Bravo, mon p'tit Polka, t'as fait du
bon travail!

Je ne me sentais pas très à l'aise
de poursuivre la quête, mais je ne
pouvais laisser Janvier et son
cochon malade seuls. Je devais
résoudre cette enquête! J'ai pris
trois grandes respirations et je les
ai suivis.

CHAPITRE 3
Panique atomique

Il a mis sa main sur ma bouche, me suppliant de me taire. Il a compris qu'il valait mieux m'expliquer rapidement la situation.

Devant la maison, Janvier m'a regardé et a dit :

— J'laisse Polka ici. J'sais pas c'qu'il peut arriver en dedans. Vaut mieux pour lui qu'il s'repose en sécurité.

Gloup! J'avais envie de dire à Janvier de me laisser à l'extérieur de la maison, en sécurité avec Polka! J'avais (un peu...) la trouille et cette grande maison en bois tout fendouillé ne m'inspirait pas du tout confiance!

J'ai noté mes observations :

N.À.M.-M. : 14 h 59, nous avons perdu un joueur. Janvier et moi entrerons seuls dans une... maison... très vieille apparemment... avec des fenêtres cassées et des volets pendouillants. J'imagine mal quelqu'un vivre dans cette baraque délabrée et toute sale. De plus, une horrible et persistante odeur d'urine de chats nous entoure. Courage Alexandrine, courage (voix tremblotante). Je la mènerai, cette enquête, ooooh que oui! Et puis... j'irai sous la douche une fois de retour à la maison. Oui... je reviendrai à la maison...! Fin de la note.

— Écoute, Janvier... je ne sais pas ce que contenait ce sac. Ce doit être vraiment important pour ton père pour que tu tiennes à ce point à le récupérer. Je t'avoue n'avoir pas très envie d'en… d'entrer dans cette mai… maison.

J'aurais voulu qu'il me dise de rester à l'extérieur, de retourner chez moi, ou même qu'il me rassure en me disant que je n'avais rien à craindre… L'air fourbe, il m'a plutôt répondu :

— J'savais pas qu't'étais lâche à ce point, Alex la fouine !

Quoi ?!? Il n'en fallait pas plus pour me convaincre d'entrer avec lui. Lâche ? Moi ? Pfft ! Voyons ! Tête de citrouille ne connaît pas encore Alexandrine la superjournaliste. Je vais lui montrer, moi !

— Hé ! Ho ! Je ne suis pas lâche ! C'est juste que… ça ne sent pas très bon ici !

— Mouaaais c'est ça…

La poignée de la porte vacillait et n'était pas verrouillée. Janvier est entré, sans frapper, convaincu que nous étions à l'endroit où se trouvait le malfaiteur. Je l'ai suivi.

Il faisait affreusement noir dans cette cabane. Nous avancions doucement, sur le bout des orteils, mais le craquement des vieilles planches de bois sous nos pas trahissait certainement notre présence.

— Arrête ! m'a ordonné Janvier en chuchotant. Faut agir vite si on n'veut pas exploser !

— MAIS DE QUOI PARLES-TU ? lui ai-je répondu, paniquée.

Il a mis sa main sur ma bouche, me, suppliant de me taire. Il a compris qu'il valait mieux m'expliquer rapidement la situation.

— Dans l'sac volé, y'a des Poudurs : des poussières d'uranium. Ce sac n'appartient pas à mon père, mais à mon oncle qui est chimiste. Il a caché ce sac dans la boutique de mon père, le croyant en sécurité. C'qui n'était pas l'cas, faut croire... Mmm'enfin, le hic c'est que l'uranium, entre mauvaises mains, peut servir à produire…

Crrrrrraaaaaaaaaaac C!!!

Les vieilles planches de bois toutes moisies ont subitement cédé sous notre poids et nous nous sommes retrouvés par terre, à l'étage inférieur.

— … des bombes atomiques! a terminé Janvier.

Des images défilaient très rapidement dans ma tête. Pourquoi Janvier a-t-il risqué nos vies? J'étais sous le choc, à un point tel que je n'arrivais pas à me relever.

CHAPITRE 4
Parmi les fous

« FOU, il est fou ! » me disais-je. Et arrogant par-dessus tout ! Il cherchait réellement le trouble et mon instinct me disait qu'il allait le trouver sans tarder !

Une faible lumière éclairait le bas sous-sol. Janvier était debout, devant moi, tout courbé pour éviter de cogner sa tête au plafond. Je lui ai demandé des explications supplémentaires.

— D'acc, mais je vais d'voir faire vite…, m'a-t-il répondu promptement. Pour confectionner une bombe, on doit faire chauffer l'uranium à une température très, très élevée. Il ne fait pas chaud, hein ? Donc, il n'y a rien à craindre… pour le moment. Faut s'dépêcher !

Janvier m'a tendu la main pour m'aider à me remettre sur pieds. Je me suis relevée trop vite et je me suis frappé la tête contre une vieille planche du plafond. Il fallait évidemment que je me blesse ! Il semble que les contusions soient des incontournables lors de mes enquêtes. Mais cela m'importait peu, puisque ma vie était peut-être en danger !

Plus nous avancions vers la lumière, plus nous entendions clairement la voix d'un homme qui marmonnait. Il semblait de mauvaise humeur.

Nous étions tout près de la modeste pièce éclairée. Janvier m'a fait signe de me pencher pour ne pas que l'homme nous voie. Dans l'antre, je l'ai reconnu. C'était bien lui, le petit homme qui avait dérobé le sac d'uranium de l'oncle de Janvier. J'ai fait signe de la tête à mon complice pour lui confirmer que j'avais bien identifié le voleur.

* * *

Les murs de la pièce où se trouvait l'homme étaient couverts de boîtes vitrées. Dans chacune de ces boîtes, il y avait des gros cailloux avec de petits papiers pour les identifier. L'homme en question était probablement un collectionneur de minéraux. Était-ce la raison pour laquelle il avait volé l'uranium ?

Sous son grand manteau gris, l'homme rechignait toujours. Il portait de grosses et épaisses lunettes qui rendaient ses yeux si grands que j'étais convaincue qu'il allait nous repérer sur-le-champ !

— Cet homme ne semble pas bien méchant, m'a chuchoté Janvier. C'est juste un collectionneur de roches. J'vais lui d'mander de nous remettre le sac de mon oncle. J'le vois, il est sur sa table, près de lui.

Quoi ? Il allait interroger le voleur à ma place ? Ce n'était pas très prudent de sa part, mais je dois admettre que sur ce coup, Janvier m'a impressionnée...

— Hummm... M'sieur... vous avez quelque chose qui n'vous appartient pas je crois. J'aimerais qu'vous me l'rendiez, disait Janvier en montrant du doigt le sac de son oncle.

— QUE FAIS-TU ICI, TOI ? a crié l'homme.

Il avait le visage cramoisi de colère. Il semblait furieux ! Il était peut-être plus méchant que nous le croyions!

L'homme a rapidement contourné la table et s'est placé devant Janvier. Le voleur se tenait les bras en croix, comme s'il cachait quelque chose derrière lui. Il était beaucoup plus petit que Janvier et arrivait mal à dissimuler quoi que ce soit.

— VA-T'EN!!! hurlait-il. Tu n'as RIEN à voir ici!!!

C'est à ce moment qu'une petite bulle d'air est montée au cerveau de Janvier:

— Alexandrine, viens voir! disait Janvier, l'air cynique, en regardant dans ma direction. Monsieur cache un gros, GROS caillou derrière lui!

«FOU, il est fou!» me disais-je. Et arrogant par-dessus tout! Il cherchait réellement le trouble et mon instinct me disait qu'il allait le trouver sans tarder!

— TU N'ES PAS SEUL!

C'en était trop! Le brigand a d'abord pris Janvier par le bras et l'a fait s'asseoir au sol. Il a attaché ses poignets à une patte de la table avec une grosse corde. L'homme est ensuite venu vers moi. J'étais bien trop nerveuse pour me sauver! Il m'a trouvée sans problème et m'a réservé le même sort qu'à Janvier. Nous étions maintenant tous les deux ligotés, sans défense. Cette histoire allait trop loin. C'était invraisemblable! J'étais à la fois affolée par la situation et enragée contre Janvier. Il avait mis nos vies en danger!!! Janvier n'avait visiblement pas les mêmes « tactiques » d'enquête que moi...

L'homme est sorti de la pièce, certainement pour se calmer un peu. Du moins, je l'espérais! J'ai profité de son absence pour glisser un mot à Janvier de ma légère insatisfaction face au déroulement de l'aventure :

— TU ES CINGLÉ, OU QUOI ?
Que crois-tu qu'il va faire de nous
maintenant, hein ? Tu as vu l'énorme
diamant sur sa table ? Il l'a sûrement
dérobé, lui aussi ! Il va penser qu'on
veut le dénoncer pour ce vol, alors
que nous voulons seulement le sac
d'uranium de ton oncle !

— J'sais, j'sais… Chut ! Il revient !

L'homme est entré dans la pièce
et s'est présenté devant nous, les
poings sur les hanches. Il semblait
légèrement plus calme, mais il respirait très vite et son visage était
encore tout rouge. J'avais envie
d'en savoir plus sur ses intentions :

— Que vouliez-vous faire avec les
poussières d'uranium ? Pourquoi
avez-vous…

— Écoutez-moi bien, petits
curieux ! m'a-t-il interrompue froi-
dement. Je vais vous détacher, mais
à une seule condition : vous allez me
jurer que… que… mais qu'est-ce qui
se passe…? Aaahhhhhh !

Une dizaine de pigeons attaquaient le voleur de toute part. Les oiseaux lui donnaient des coups de bec sur la tête, dans le visage, sur les mains, partout, partout! Ils étaient si nombreux qu'ils ont fait tomber l'homme. Il se débattait, mais les pigeons, apparemment très affamés, étaient beaucoup plus forts que lui. J'étais heureuse du dénouement, mais maintenant, qui allait nous détacher?

— POLKA! Viens ici mon grand!

Janvier appelait son petit porc, qui semblait avoir repris du poil de la bête! Il gambadait vers son maître, manifestement heureux de le revoir.

— Polka, J'ai un autre gros service à t'demander. Détache la corde dans mon dos!

Étonnamment, le cochon a compris la demande de Janvier et grugeait la corde du mieux qu'il le pouvait. Pendant ce temps, l'homme se débattait toujours sous les petits becs pointus de ses volatiles agresseurs.

— BRAVO, Polka! T'as réussi! T'auras toute une récompense! Bon p'tit pécari!

Janvier flattait vigoureusement la tête de son poilu copain en guise de félicitations et de remerciement. Un peu plus et le cochon ronronnait!

Au moment même où Janvier détachait la corde autour de mes poignets, la patrouille d'Urgences-Urgentes entrait dans la maison.

— Il y a quelqu'un? demandait le chef de la patrouille.

— Au sous-sol! criais-je. Ouf! J'étais désormais rassurée. De VRAIS secours!

Deux hommes de la patrouille d'Urgences-Urgentes avançaient vers nous. Ils ont aperçu l'homme étendu au sol, sous la bande de pigeons déchaînés.

— Tiens, tiens ! Voilà notre homme ! s'est exclamé un des patrouilleurs. Et voilà LA fameuse pierre recherchée !

Les deux hommes ont pris soin de s'informer de notre état, à Janvier et à moi, avant d'emmener avec eux le voleur ainsi que l'énorme diamant. Janvier n'avait que ceci à leur déclarer :

— Bah... J'me suis fait une écharpe !

— On dit une écharde, Janvier, pas une écharpe ! ai-je ajouté.

— J'sais, j'sais... j'mélange toujours les deux mots !

— Je vais te donner un truc : tu te fais une écharde dans le doigt. Retiens le « d » du mot doigt et tu te souviendras que c'est une écharde et non une écharpe !

— Ouais, mais j'me suis fait ça au pied, alors c'est une écharpe ! Hé ! hé !

J'ai sorti illico mon petit magnéto de ma poche :

N.À.M.-M. : Aussitôt que je reviens à la maison, je DOIS inscrire Janvier à la populaire émission de télévision : Le roi de la farce. C'est un vé-ri-ta-ble sac à blagues ! Fin de la note.

J'ai fait un petit clin d'œil à mon nouvel humoriste préféré qui m'a répliqué par une grimace. Il a ensuite récupéré le sac de son oncle.

— Le voleur a utilisé une partie de l'uranium, a remarqué Janvier. Il est à moitié vide…

— Et HEU-REU-SE-MENT que les pigeons et Polka étaient là pour nous sauver ! lui ai-je dit sarcastiquement.

Il m'a répondu d'un sourire niais. Je crois qu'il était conscient des risques qu'il nous a fait prendre, mais il était bien trop orgueilleux pour l'admettre !

CHAPITRE 5

La plus belle image du monde

Durant sa nuit de garde, il y a eu une panne d'électricité et pour éviter que les œufs prennent froid, Janvier les avait délicatement enroulés dans une chaude douillette qu'il conservait dans ses bras.

Sur le chemin du retour, j'étais encore sous le choc de cette étrange aventure, mais plus que tout, j'étais soulagée d'être toute là, en un seul morceau. Une pluie fine et un peu froide m'a aidée à me remettre de mes émotions. À mes côtés, Janvier ne tarissait pas d'éloges sur son pécari. Ses yeux pétillaient de bonheur et il semblait déjà avoir oublié toute l'histoire avec le truand aux cailloux. Le maigrelet garçon était si fier de son dodu cochon... et de ses disciples pigeons !

* * *

Lorsque nous sommes arrivés à la boutique de M. Cinqmars, celui-ci nous a serrés très fort dans ses bras. Il a avoué qu'il avait eu tort de nous laisser partir à la recherche du voleur. Quelques secondes après notre départ, il a contacté la patrouille d'Urgences-Urgentes pour nous venir en aide. Pendant que Janvier se roulait allègrement dans la boue avec Polka, Gontrand m'a finalement raconté toute l'histoire entourant les mystérieux pigeons sauveteurs.

L'oncle chimiste de Janvier, Siméon Cinqmars, était fasciné par les animaux (surtout les plus étranges) et, à l'occasion, il venait faire des expériences avec les bêtes de l'animalerie de son frère. *À noter qu'aucun animal n'a été blessé durant ses expériences !*

— Un jour, Siméon a voulu créer l'animal domestique idéal, a continué Gontrand. Comme la génétique n'a plus de secret pour lui, il a décidé de fusionner des gènes de chien (pour la loyauté et la fidélité), des gènes d'éléphant (pour la mémoire) et des gènes de chimpanzé (pour l'intelligence) avec l'ADN d'un animal quelconque... « Et quoi de plus quelconque qu'un pigeon ? » s'est-il dit. Siméon a donc expérimenté avec un couple d'oiseaux assez singuliers, mais qui allaient devenir les parents de pigeonneaux assez particuliers.

Janvier a alors interrompu le récit de son père, soudainement embarrassé par la situation :

— P'pa ! Tu vas pas encore raconter c't'histoire !

— Mais si, mais si ! Ai-je insisté. Je veux connaître la suite !

« Et tant mieux si ce qui suit sera intimidant pour Janvier, me suis-je dit dans ma tête, on va rigoler un brin ! »

— Bon, alors voilà... Mon frère, Siméon, veillait donc jour et nuit sur les œufs et notait chaque observation dans son carnet vert. Un soir de novembre, il a dû s'absenter et a demandé à son neveu de surveiller attentivement les cocos dans l'incubateur. Durant sa nuit de garde, il y a eu une panne d'électricité et pour éviter que les œufs prennent froid, Janvier les avait délicatement enroulés dans une chaude douillette qu'il conservait dans ses bras.

— Stop !

N.À.M.-M. : Je dois sa-vou-rer ce moment... j'imagine : Janvier berçant une douzaine d'œufs dans la nuit glaciale sous la lueur d'une chandelle... la belle « image » ! J'aurais voulu y être, ce devait être VRAIMENT trop chouuuu ! – Fin de la note !

M. Cinqmars m'a souri et a poursuivi :

— Et c'est pendant cette panne électrique que les premiers œufs ont éclos. Les petits oisillons sortant de leur coquille ont instinctivement choisi Janvier pour maman !

Le père de Janvier a conclu son récit, une larme à l'œil, si fier de l'acte héroïque de son fils.

Je crois que l'expérience scientifique de Siméon Cinqmars est une réussite, car je n'ai jamais vu des pigeons aussi attentionnés pour leur mère... euh... leur maître ! Et aussi incroyable que cela puisse paraître, ils rapportent la balle !

CHAPITRE 6

Teeeeellement différents

Moi, avec mes cheveux bouclés, remontés en pompons, et mes broches ; lui, avec sa frange noire, ses (beeeaux !) yeux bleus, son sourire en coin qui laisse paraître des dents incroyablement blanches...

Bien que nous ayons vécu une histoire assez particulière ensemble, Janvier Cinqmars et moi ne sommes pas devenus les meilleurs amis du monde pour autant! Oooh, non! Je le trouve un peu plus sympathique qu'auparavant, c'est vrai... mais c'est tout!

Nous sommes beaucoup trop différents l'un de l'autre... Moi, je veux tout savoir, tout comprendre. Lui, il semble s'intéresser seulement à son pécari et à ses pigeons! Moi, avec mes cheveux bouclés, remontés en pompons, et mes broches; lui, avec sa frange noire, ses (beeeaux!) yeux bleus, son sourire en coin qui laisse paraître des dents incroyablement blanches... Non, franchement, nous n'avons pas grand-chose en commun. Et son visage n'héberge pas autant de boutons que je le croyais... Ouais, faut avouer qu'il a quand même un joli petit minois...

Enfin, bref! Nous nous revoyons à l'occasion, lorsque je vais faire un tour à l'animalerie de son père, et je ne me fais pas prier pour le taquiner sur son nouveau rôle de maman!

En revanche, il ne se gêne pas pour me rappeler que j'ai été (légèrement) une vraie poule mouillée lorsque nous étions dans la vieille baraque du cambrioleur.

Janvier Cinqmars et moi sommes souvent en désaccord, mais nous nous entendons sur au moins un point : les pigeons ne sont pas si stupides, après tout !

Dernière heure!

En me penchant pour te ramasser, petit magnéto, j'ai entendu une voix qui provenait du sous-sol.

N.À.M.-M.: *Neuf jours se sont écoulés depuis l'événement « Pigeons, Polka et cie ». Je viens tout juste de visiter Gontrand Cinqmars à son animalerie. Il avait des chinchillapins à me présenter! De belles petites bêtes vraiment très douces... Je leur ai trouvé des noms:*

Pantouflard et Polisson. Enfin, mon intervention ne concerne pas ces mignonnes bestioles, mais plutôt ce que je viens d'entendre dans le sous-sol de l'animalerie. J'étais près de la cage des chinchillapins lorsque j'ai échappé mon magnétophone par terre. En me penchant pour te ramasser, petit magnéto, j'ai entendu une voix qui provenait du sous-sol. Je crois qu'il s'agissait de Siméon, l'oncle de Janvier, qui discutait au téléphone. Il semblait ébranlé. On aurait dit qu'il venait d'apprendre une terrible nouvelle. Il parlait du voleur de Poudurs, il disait de lui que c'était un fou qui avait commis de graves erreurs dans le passé. Il connaissait donc le ravisseur... Il a parlé d'un certain Philibert Cinqmars... Un membre de la famille ! Mmm... Ce n'est pas net tout ça ! Je VEUX en savoir plus ! Peut-être que Janvier a des détails croustillants *à me raconter concernant cette affaire ! Je DOIS rencontrer Janvier et l'interroger... et voir comment il se porte... Fin de la note.*

GLOSSAIRE

Allègrement : De manière joyeuse.

Angora : À poils longs.

Antre : Endroit inquiétant, mystérieux où on se retire pour se retrouver seul.

Cadavérique : Qui évoque l'apparence d'un cadavre : froid, blanc, rigide...

Cinglé : Fou.

Clavarder : Converser en temps réel, par écrit, entre ordinateurs liés sur un réseau.

Contusion : Blessure.

Cramoisi : Très rouge.

Cynique : Effronté, immoral.

Dédain : Arrogance, mépris.

Désapprobateur : Qui n'approuve pas.

Disciple : Ami, fidèle, partisan.

Enquiquiner : Agacer, casser les pieds, embêter, énerver.

Estropier : Prononcer de travers, écorcher les mots.

Fourbe : Malin, de mauvaise foi.

Frêle : Qui donne l'impression de manquer de force physique, de solidité.

Horde : Bande, groupe.

Investigation : Enquête, recherche.

Monumental : Énorme, impressionnant.

Progéniture : Enfant, héritier.

Suprématie : Supériorité.

Téméraire : Audacieux, qui n'a pas froid aux yeux.

Uranium : Élément métallique naturel et faiblement radioactif.

Vaciller : Branler, manquer de stabilité.

MÉLI-MÉLO AMUSANT

Il te faudra une feuille lignée,
une feuille blanche et un crayon.
Réponds aux questions et
amuse-toi bien!

....

Chapitre 1

1. Alexandrine fait parfois un effroyable cauchemar. Quel est-il? Raconte à ton tour, à tes amis ou sur papier, un mauvais rêve que tu as déjà fait.

2. Janvier Cinqmars parle comme on clavarde. Il peut être difficile de le comprendre! Aide-le à mieux s'exprimer et écris correctement la phrase suivante: *« J'sais pas trop c'ment t'dire ça, mais ça s'rait cool qu'on d'vienne amis. »*

3. L'animalerie Cinqmars cache des bêtes étranges. Laquelle, parmi les choix suivants, ne figure pas parmi les découvertes d'Alexandrine?
   a) Un rat musclé;
   b) Un chimpanzèbre;
   c) Une poule avec des dents;
   d) Un cochon dingue.

Chapitre 2

1. Polka, le pécari, est l'animal de compagnie de Janvier. As-tu, toi aussi, un animal de compagnie que tu aimes beaucoup? Quel animal est-ce, comment se nomme-t-il? Dessine-le sur ta feuille de papier.

2. Alexandrine ne parle pas très bien l'anglais, mais elle veut s'améliorer! Trouve quelle est la bonne façon d'écrire ce qu'elle a voulu dire à la dame au grand chapeau:
Tankiyou véri moche!
a) Tank you very much!
b) Thank u very much!
c) Thank you very much!
d) Tank you very mutch!

Chapitre 3

1. Alexandrine ne veut pas révéler à Janvier qu'elle a peur d'entrer dans la vieille maison délabrée. Elle y entre tout de même, par orgueil. T'est-il déjà arrivé de faire un geste, contre ton gré, pour éviter qu'on te traite de lâche ou de poule mouillée? Partage ton anecdote avec tes amis.

67

2. La jeune journaliste en herbe donne une description de la maison où elle et Janvier s'introduisent. Dessine cette maison, comme tu l'imagines!

3. Dans l'histoire, Janvier explique à Alexandrine ce que sont les Poudurs. Te souviens-tu? Les Poudurs sont:
   a) Des poussières dures;
   b) Des poux d'urubu;
   c) Des poubelles durables;
   d) Des poussières d'uranium.

....

Chapitre 4

1. Lors de ses enquêtes, Alexandrine se blesse toujours! Que lui est-il arrivé dans la maison du ravisseur?
   a) Elle s'est fait une écharde au doigt;
   b) Elle est solidement tombée sur les fesses;
   c) Elle s'est frappé la tête contre une vieille planche du plafond;
   d) Elle s'est fait des éraflures au visage.

2. Le voleur semble être un collectionneur de minéraux. As-tu des collections, toi aussi? Si oui, écris-le sur ta feuille de papier et inscris depuis combien de temps tu collectionnes ces objets.

Chapitre 5

1. En plus des pigeons et de Polka, qui vient au secours d'Alexandrine et de Janvier ?
a) La patrouille des Urgentes-Urgences
b) La patrouille des Urgences-Immenses
c) Les patrons de l'Urgence-Urgente
d) La patrouille d'Urgences-Urgentes

2. Quel est le nom de l'oncle chimiste de Janvier :
a) Siméon
b) Simon
c) Philibert
d) Philippe-Albert

Chapitre 6

1. Tu connais l'expression : « Les contraires s'attirent » ? Crois-tu que c'est le cas d'Alexandrine et de Janvier ? À ton avis, sont-ils faits pour être des amis ? Exprime tes pensées avec tes camarades et débattez sur le sujet.

Solutionnaire

Chapitre 1
1. Alexandrine rêve parfois que ses dents tombent et qu'elles ne tiennent que par le fil de métal de son appareil orthodontique.
2. « Je ne sais pas trop comment te dire cela, mais il serait vraiment chouette* que nous devenions des amis. »
   *Tu peux remplacer cool par chouette, super, sympathique, etc.
3. b

Chapitre 2
1. Je suis certaine que ton animal t'aime autant que tu l'aimes !
2. c

Chapitre 3
1. C'est amusant de partager ce genre d'histoires avec des amis !
2. Wow ! Quel beau dessin ! Tu as beaucoup d'imagination !
3. d

Chapitre 4
1. c
2. C'est génial ! J'ai déjà collectionné les timbres, les pierres semi-précieuses, les bandes dessinées, les gommes à effacer…

Chapitre 5
1. d
2. a

Chapitre 6
1. Pour ma part, je crois qu'Alexandrine et Janvier pourraient devenir de bons amis, car ils se complètent bien. Était-ce ton avis ?

Titres de la collection Biblio•BOOM

Pierre DuBois • Catherine DuBois
Collin joue au héros

ISBN 978-2-89595-232-9

Pierre DuBois • Catherine DuBois
Le vol de Collin

ISBN 978-2-89595-233-6

Véronique Dubois
Détective inc.

ISBN 978-2-89595-282-4

Brigitte Marleau
CROIX DE BOIS CROIX DE FER

ISBN 978-2-89595-283-1

Véronique Dubois
Détective inc.

ISBN 978-2-89595-318-0

Véronique Dubois
GALOPINO LE CHEVAL AUX GRANDS RÊVES

ISBN 978-2-89595-319-7

Nathalie Gamache
Jumeaux en détresse !

ISBN 978-2-89595-373-9

Nadine Deschenaux
CHUT ! J'AI TRICHÉ !

ISBN 978-2-89595-374-6

Véronique Dubois
Détective inc.

ISBN 978-2-89595-409-5

Pierre DuBois • Catherine DuBois
Au secours, Collin !

ISBN 978-2-89595-423-1

Véronique Dubois
Détective inc.

ISBN 978-2-89595-424-8

Nadine Poirier
COMMANDO DE LA flaque d'eau !

ISBN 978-2-89595-494-1

Nathalie Gamache
Danger à la maison hantée !

ISBN 978-2-89595-495-8

Mika
Pigeons, Polka et cie

ISBN 978-2-89595-496-5